Macarons

Tout en rondeur, en croquant et en moelleux, les macarons sont de véritables bijoux de pâtisserie.

Grâce à la plaque à macarons Mastrad et à sa poche à douille, les réussir devient un jeu d'enfant !

Laissez-vous guider par notre pas à pas pratique et nos délicieuses recettes et faites parler votre imagination avec nos suggestions infinies de garnitures et customisations.

N'hésitez pas à créer vos propres pâtisseries pour le plus grand plaisir de tous.

Et pour surprendre vos convives, innovez avec nos recettes de faux « macarons » créées spécialement pour vous !

Prenez autant de plaisir à déguster nos macarons que nous en avons pris à les créer, les photographier... et les croquer !

Jean-Claude Fascina
Chef consultant

Sabine Bernert
Directrice de collection

Julien Bouvier
Photographe

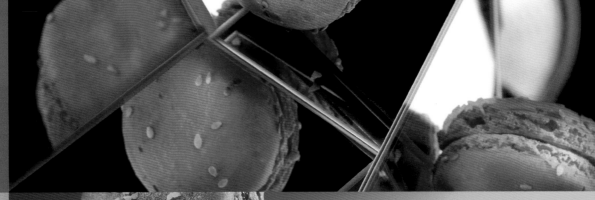

Le matériel – bien se préparer

les innovations Mastrad :

- **Les plaques à macarons Mastrad** (pour petit diamètre et grand diamètre)
  - Facile à utiliser, la plaque Mastrad simplifie la préparation des macarons : ses empreintes permettent de positionner aisément les coques lors de l'étape délicate du pochage de la pâte à macarons.
  - 100% silicone alimentaire, elle est flexible, antiadhésive et permet de détacher les coques sans risque de les briser.
  - Elle est incassable et résiste à 250°C.
  - Lavable au lave-vaisselle.

- **La poche à douille Mastrad**
  - Pratique à remplir grâce à son support, la poche à douille en silicone permet de conserver la préparation au frais puis de pocher avec une bonne prise en main. Le geste parfait devient une seconde nature.
  - Lavable au lave-vaisselle.

à prévoir également :

- **Un tamis à farine mécanique :** incontournable pour obtenir des poudres suffisamment fines pour réaliser de belles coques bien lisses.

- **Une balance électronique :** le macaron est une mécanique de grande précision, il est indispensable de peser au gramme près les ingrédients !

- **Une thermosonde de cuisson :** la meringue italienne se prépare avec un sirop de sucre obtenu à 110°C, ni plus ni moins !

- **Un grand bol à mélanger :** il devra être résistant à la chaleur pour la réalisation de la meringue italienne.

- **Une spatule plate** (maryse) **en silicone :** l'outil essentiel pour réaliser l'étape délicate du macaronnage ! Un outil en silicone permet un geste plus souple et mieux dosé.

- **Un batteur à œufs électrique :** un robot ménager est préférable pour réaliser la meringue italienne, car certaines opérations se réalisent simultanément !

- **Un robot ménager :** pour affiner au cutter les ingrédients en poudre.

planification et conservation :

Les macarons se planifient et il faut être patient pour déguster ses créations !

Pour bien apprécier ces petites douceurs, il est important de respecter une période de maturation : les macarons doivent être entreposés 24 heures au réfrigérateur après cuisson et garnissage. Cela leur donnera le temps d'acquérir ce goût si spécial. Placez-les à température ambiante une demi-heure avant de les déguster.

Selon les recettes, certaines garnitures doivent également être préparées à l'avance pour « prendre » ou infuser leurs ingrédients. Elles se conservent au réfrigérateur.

Les macarons non garnis se conservent jusqu'à 7 jours dans une boite hermétique entreposée au réfrigérateur et plusieurs mois au congélateur (les décongeler 12 heures au réfrigérateur avant de les garnir).

La durée de conservation des garnitures varient en fonction des produits utilisés : les ganaches à base de crème, de beurre ou de jaunes d'œufs ne doivent pas être gardées plus de 3 jours. Les fruits cuits se conservent jusqu'à 7 jours. Les garnitures à base de fruits **(pages 44 et 45)** peuvent être congelées. Elles se décongèlent 12 heures au réfrigérateur avant utilisation.

ingrédients & petits plus

Pour réaliser la coque des macarons, il faut des ingrédients simples. Mais la pâtisserie est une science exacte et l'art du macaron délicat.

Le secret est d'utiliser des ingrédients de première qualité et de bien les préparer. Ne substituez pas les produits et ne modifiez pas les quantités… même si cela vous semble trop sucré, car la magie ne prendra pas !

- **Les ingrédients de base :**
  - **Des amandes en poudre**
    Choisir une poudre d'amande bien blanche et très fine, sans sel ni sucre ajoutés.

  - **Du sucre glace**
    Sélectionner un sucre glace bien blanc, comportant entre 2 et 3 % d'amidon.

  - **Des blancs d'œufs**
    Les blancs d'œufs se préparent plusieurs jours avant la confection des macarons et au plus tard la veille de leur utilisation : il faut les séparer avec précaution des jaunes et les déposer au réfrigérateur dans un contenant hermétique. Ils seront sortis 1 heure avant leur préparation pour revenir à température ambiante.

  - **Du sucre semoule**
    Il faut utiliser un sucre blanc.

- **Et les petits plus :**

  La coque des macarons peut être parfumée ou colorée avec toutes sortes d'ingrédients, mais il faut prendre garde à ne pas déstructurer la texture de la macaronnade lorsque l'ingrédient est ajouté avant cuisson.

  On peut par exemple ajouter à la préparation avant cuisson (proportions indiquées pour les recettes de base de deux plaques à macarons Mastrad données en pages suivantes) :
  - 1 cuillère à soupe d'eau de fleur d'oranger, d'eau de rose, de sirop d'orgeat ou d'antésite, ou quelques gouttes d'extrait de café, vanille, orange amère ou encore quelques gouttes d'huiles essentielles alimentaires ou de cristaux (à réduire en poudre) : orange douce, bergamote, cannelle, romarin, etc.
  - 1 cuillère à soupe de fruits secs ou de graines réduits en poudre et tamisés : cacahuètes, pistaches, noix, noix de pécan ou de macadamia, noisettes, sésames blanches ou noires, fenouil, anis.
  - ½ cuillère à café d'épices : mélange cinq épices, cannelle, mélange pour pain d'épices, safran, poivre de Sichuan, baies roses concassées, curry, etc.
  - 1 gousse de vanille (couper en deux et gratter les graines au couteau).
  - 1 cuillère à soupe d'herbes séchées ou de fleurs séchées réduites en poudre : thym, lavande, origan, romarin, fleur d'oranger, aneth, etc.
  - 1 cuillère à soupe de cacao en poudre, de fève tonka râpée, de poudre de thé vert.
  - 1 cuillère à café de zestes de citron vert ou d'orange (bio).

  Pour colorer les coques, on peut utiliser quelques gouttes de colorants alimentaires ou, mieux, de colorants naturels tels que les cachous ou petits morceaux de rouleaux de réglisse, l'encre de seiche, ou le jus de betterave, de myrtille ou de cassis, ou encore du coulis de fruits rouges.

préparation
30 mn

12 à 15 mn

coût
€ € €

difficulté
★ ★ ★

x2 ou x 2

Meringue italienne au sucre cuit

Cette recette permet d'obtenir des coques bien lisses.

Ingrédients

Pour les coques nature :

150 g de poudre d'amande

150 g de sucre glace

60 g + 60 g de blancs d'œufs
(soit environ 2 + 2)

20 g + 150 g de sucre semoule

50 g d'eau

1 **Au plus tard la veille de la préparation,** préparer les blancs d'œufs : séparer les blancs des jaunes d'œufs et les déposer au réfrigérateur dans un contenant hermétique. Les sortir 1 heure avant leur utilisation pour les remettre à température ambiante.

2 **La meringue italienne :**

Verser le sucre glace et la poudre d'amande dans un robot et les mixer pour obtenir une poudre bien fine (on appelle ce mélange « tant pour tant »). Les tamiser finement dans un bol puis ajouter 2 blancs d'œufs non battus.

Déposer les 2 autres blancs d'œufs dans un bol en inox. Incorporer 20 g de sucre semoule, puis les monter en neige au batteur électrique à petite vitesse.

Pendant ce temps, verser l'eau et 150 g de sucre semoule dans une casserole. Tourner doucement la casserole pour mélanger les ingrédients et chauffer jusqu'à l'obtention d'un sirop. Placer la thermosonde de cuisson dans la casserole et la régler sur 110°C. Retirer la casserole du feu dès que la température est atteinte.

Dès que le sirop est prêt, le verser en filet sur la meringue en poursuivant le fouettage. Pour éviter les projections, verser le sirop près du bord, suffisamment loin du batteur. Continuer à battre à vitesse modérée jusqu'au complet refroidissement du mélange.

La meringue doit être ferme mais onctueuse. Elle est prête lorsqu'elle forme un bec d'oiseau sur le fouet.

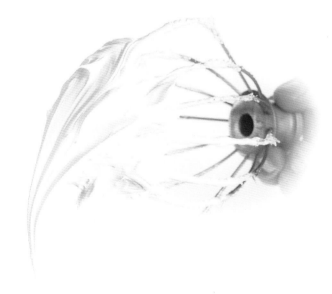

3 Le macaronnage :

Incorporer la meringue italienne dans le mélange des poudres tamisées et blancs d'œufs non battus : verser un premier quart de la meringue puis mélanger délicatement avec une spatule en silicone (maryse).

Il faut partir du centre de l'appareil vers l'extérieur en appuyant la spatule afin de racler le fond du bol et de soulever la masse en même temps (ça, c'est pour la main droite) le tout en tournant le bol d'un quart de tour (ça c'est pour la main gauche !). Ajouter par quart le reste de la meringue et répéter ce mouvement jusqu'à ce que l'appareil soit bien mélangé.

C'est l'opération délicate de la fabrication des macarons : la pâte doit être mélangée jusqu'à ce qu'elle soit lisse, brillante et légèrement coulante, mais il faut s'arrêter à temps !

Trop macaronnée la pâte deviendra liquide et les macarons ne développeront pas une belle collerette lors de la cuisson... pas assez macaronnée, les macarons craqueront à la cuisson !

Les ingrédients utilisés pour parfumer ou colorer les coques s'ajoutent au cours du macaronnage.

Et voilà !

préparation
20 mn
repos
15 mn

12 à 15 mn

coût

difficulté
★ ★ ★

x 2   ou   x 2

Meringue française

Cette recette donne des coques croustillantes.

Ingrédients

Pour les coques nature :

130 g de poudre d'amande

230 g de sucre glace

130 g de blancs d'œufs
(soit environ 4)

65 g de sucre semoule

1 Au plus tard la veille de la préparation, préparer les blancs d'œufs : séparer les blancs des jaunes d'œufs et les déposer au réfrigérateur dans un contenant hermétique. Les sortir 1 heure avant leur utilisation, pour les remettre à température ambiante.

2 Verser le sucre glace et la poudre d'amande dans un robot et les mixer pour obtenir une poudre bien fine. Les tamiser finement dans un bol (on appelle ce mélange « tant pour tant »).

3 Verser les blancs d'œufs dans un grand bol, incorporer 15 g de sucre semoule, puis les monter en neige au batteur électrique jusqu'à ce que la meringue prenne la texture d'une mousse à raser. Incorporer les 45 g de sucre restant et finir de battre.

4 Incorporer les poudres tamisées dans la meringue : les verser en pluie puis mélanger délicatement avec une spatule en silicone.

Suivre ensuite la technique du macaronnage expliquée pour la meringue italienne **(page 11).**

pochage :

Lorsque la pâte est bien macaronnée, la verser dans la poche à douille Mastrad équipée de la douille lisse.

Déposer la plaque à macarons sur la lèchefrite (froide) du four.

Retirer la poche du socle.

Déposer dans chaque emplacement de la plaque à macarons, une petite boule de la taille d'une pièce d'un euro, faire un petit quart de tour du poignet et retirer la poche d'un petit coup sec, laisser la pâte prendre sa place naturellement dans les empreintes.

Tapoter légèrement la lèchefrite sur la table pour évacuer les bulles d'air.

Laisser « croûter » au minimum un quart d'heure à une demi-heure à température ambiante : les coques seront prêtes à cuire lorsqu'elles ne collent plus au doigt.

cuisson :

Préchauffer le four à 130/140°C - Th 4/5 en convection naturelle basse.

Customiser à votre goût les coques avant de les enfourner :

- Elles peuvent être saupoudrées - avant cuisson - d'ingrédients qui ne craignent pas la chaleur :
    - Pétales de rose, épices, noix de coco râpée, herbes ou fleurs séchées (origan, thym, romarin, aneth, lavande, fleur d'oranger, bleuet...).
    - Fruits secs concassés : cacahuètes, pistaches, noix de pécan, noix, noisettes, pignons de pin, amandes effilées.
    - Graines de sésame blanches ou noires, de fenouil, d'anis, graines de vanille, de courge, de pavot
    - Zestes d'orange ou de citron vert râpé (blanchis 30 secondes à l'eau bouillante), écorces d'oranges confites.
    - Fève tonka râpée, cacao, praliné ou thé en poudre.
    - Sucreries qui ne craignent pas la chaleur (concassé de bonbons, dragées, violettes cristallisées, perles).
    - Feuilles, flocons ou paillettes d'or, d'argent, poudre irisée.

Enfourner la plaque à macarons au four préchauffé et cuire 12 à 15 minutes, en convection naturelle basse (ne pas utiliser la chaleur tournante qui risque de «coucher» les macarons).

Entrouvrir légèrement la porte du four 2 ou 3 minutes avant la fin de cuisson afin de laisser s'évaporer la vapeur d'eau.

Les températures variant d'un four à l'autre, aussi il est important de bien surveiller la cuisson et de varier les essais pour trouver la plus adaptée : les coques ne doivent pas sécher. A l'inverse si elles ne sont pas assez cuites, l'humidité remontera et provoquera des tâches.

Si vous faites cuire plusieurs plaques en même temps, alterner leur position haut et bas toutes les 3 minutes.

Dès la fin de la cuisson, retirer la plaque à macarons de la lèchefrite et laisser refroidir à température ambiante. Bien attendre le complet refroidissement des coques (une quinzaine de minutes) avant de les décoller de la plaque.

catalogue des ratés !

Il faut souvent faire plusieurs essais pour trouver le bon équilibre et réussir les coques de macarons…

- Voici les « ratés » les plus courants :
  - Coques trop bombées : la macaronnade n'a pas été suffisamment travaillée.
  - Coques raplapa, craquées, sans jolies collerettes : la macaronnade a été trop travaillée ce qui a cassé la structure des blancs en neige.
  - Coques grumeleuses : le mélange sucre glace + poudre d'amande («tant pour tant») ou les ingrédients ajoutés pour parfumer la coque étaient insuffisamment mixés ou tamisés.
  - Coques avec une forme bizarre : la pâte a été pochée en trop grande quantité dans les empreintes de la plaque à macarons et a débordé des rainurages.
  - Coques fendillées : les coques ont été enfournées avant d'avoir suffisamment «croûté» ou la température du four était trop forte.
  - Coques «explosées» : la pâte n'a été mélangée de façon homogène.

Quoi qu'il en soit, ne vous désespérerez pas, le prochain essai sera le bon, c'est sûr. Et vous trouverez des idées de « recyclage » de vos coques ratées **en page 82.**

assemblage :

Voici venue la phase la plus ludique des macarons, vos coques sont enfin prêtes, toutes jolies et prêtes à garnir, il n'y a plus qu'à laisser libre cours à votre imagination !

La décoration des coques

Une fois cuites, les coques se décorent facilement avec toutes sortes d'ingrédients : épices, poudres de cacao ou de noisette, noix de coco, sucreries fantaisie (boule de mimosa, vermicelles en chocolat), fruits secs concassés, graines, herbes fraîches émincées ou sèches, poudre d'or ou d'argent, etc.

Passer le doigt humidifié à l'eau sur les coques puis saupoudrer de l'ingrédient choisi.

Pour ajouter un filet de chocolat, faire fondre 50 g de chocolat et le verser dans un cône en papier. Un coulis de fruit s'ajoute aussi très facilement grâce à un cône.

garnissage :

Appareillez les coques 2 par 2 pour qu'elles soient de diamètre équivalent (la plaque Mastrad facilite le gabarit !).

Alignez devant vous les coques inférieures et munissez-vous de votre garniture de base, versée dans la poche à douille ou en siphon.

La garniture se dépose soit au centre du macaron, soit sur le pourtour, et s'agrémente de petits plus, tels que fruits frais émincés ou secs concassés, graines, morceaux de nougat, éclats de marrons glacés, etc. Glissez-les sur les bords du macaron, si votre garniture est placée au centre, ou au centre, si vous garnissez le pourtour.

Par exemple, placez une framboise fraîche au centre du macaron et entourez d'une ganache de chocolat noir, ou bien répartissez sur le pourtour du macaron des éclats de noix de macadamia et siphonnez une noix de mousse vanillée au centre.

Placer ensuite le chapeau pour refermer délicatement.

Le macaron se décore aussi après montage : déposez dans une petite soucoupe des ingrédients très fins comme des graines de pavot ou de sésame, de la noix de coco, ou des poudres de cacao, noisette, ou encore des sucreries (perles de chocolat, smarties, sucre pétillant), et roulez délicatement le macaron pour que les ingrédients adhèrent à la garniture.

Macarons sucrés

Enchantez vos papilles avec de délicieux macarons sucrés aux parfums délicats.
Apportez votre touche personnelle grâce à nos recettes de bases et suggestions de customisation.
Vous voici prêts à décliner à l'infini des créations qui porteront votre signature et raviront vos invités.

Garnitures Ganaches

La ganache est la préparation la plus classique pour garnir les macarons : elle est réalisée à base de chocolat noir, au lait ou blanc, et de crème ou de beurre. Elle se conserve au réfrigérateur durant 3 jours dans une boite hermétique, mais sa congélation est déconseillée.

La ganache doit reposer à température ambiante durant 30 minutes avant d'être versée dans la poche à douille pour garnir les macarons. Si nécessaire, elle peut être ramollie au bain-marie.

Les Recettes de Base

Ingrédients

200 g de chocolat noir à 70 % de cacao minimum, ou de chocolat au lait

200 g de crème fraîche liquide entière (ne pas utiliser de crème allégée, la recette ne fonctionnera pas !)

Ganache nature au chocolat noir ou chocolat au lait

Concasser finement le chocolat et le mettre dans un bol cul de poule en inox (ou dans un récipient résistant à la chaleur). Verser la crème dans une casserole, porter doucement à ébullition puis la verser sur le chocolat. Attendre 1 minute et remuer doucement au fouet en cercles concentriques pour finir de fondre le chocolat et le mélanger à la crème.

Ingrédients

200 g de chocolat blanc

50 g de beurre entier (ne pas utiliser de beurre allégé)

Ganache nature au chocolat blanc

Concasser le chocolat et le mettre dans un bain-marie. Ajouter le beurre en morceaux. Faire fondre doucement, puis remuer au fouet.

Les déclinaisons

Les ganaches peuvent être agrémentées de nombreux ingrédients, qui s'utilisent seuls ou combinés à votre goût et se mélangent délicatement à la ganache refroidie.

Les bons mariages avec une ganache au chocolat noir, au lait ou blanc :
- Des fruits frais qui s'utilisent, selon les cas, entiers, émincés ou réduits en coulis ou purées : fruits de la passion, framboises, fraises, suprêmes d'orange, abricots en brunoise, fraises émincées, poires, mangues, mandarines, cassis... du gingembre frais finement émincé ou des zestes râpés d'agrumes (bio) : pamplemousse, orange, citron.
- Des fruits secs torréfiés et concassés (pistaches, amandes, noix, noix de pécan ou de macadamia, noisettes), émincés (figues, abricots secs), ou entiers et préalablement gonflés dans un peu d'eau tiède ou de thé (canneberges, raisins secs), des graines de sésame torréfiées, de vanille.
- Du miel, des éclats de marrons glacés, de nougatine, du praliné en pâte ou en poudre, de la fève tonka, du caramel, de la noix de coco râpée, du lait de coco.
- Certaines épices s'associent bien à tous les chocolats : cannelle, mélange pour pain d'épices.
- Des hydrolats et des huiles essentielles alimentaires, liquides ou en cristaux (à doser avec parcimonie !) telles qu'orange douce, bergamote, citron, pamplemousse, mandarine, fleur d'oranger, cannelle, menthe, gingembre, de l'extrait de café, de vanille, d'orange amère.

De préférence avec une ganache au chocolat noir :
- Des alcools de fruits (Kirsch, Grand Marnier, Cointreau, Amarula) et eaux de vie (poire, framboise), des liqueurs (pêche de vigne, menthe, café), à associer au fruit frais correspondant*.
- De la fleur de sel et des épices fortes comme le poivre de Sichuan, piment d'Espelette, épices à vin chaud, curry.

Et plutôt avec une ganache au chocolat blanc :
- Des fruits frais au goût subtil : groseilles, myrtilles ou cassis à laisser entiers, melon en brunoise,
- De la menthe fraiche émincée, des herbes ou fleurs séchées : thym, lavande, romarin, fleur d'oranger, bleuet.
- Des graines torréfiées : fenouil, anis, pavot, pignons concassés.
- Des épices douces comme le safran, les baies roses (concassées), le curry, le garam massala, de la poudre de thé vert, du thé à la menthe, du thé Earl Grey ou toutes sortes de thés parfumés et des mélanges des créateurs de thé.
- Des huiles fruitées comme l'huile d'olive, de sésame, de noix, de noisette (gardez la main légère !),
- Certaines liqueurs comme la crème de cassis*, de l'eau de fleur d'oranger, eau de rose, sirop d'orgeat.

*L'abus d'alcool est dangereux pour la santé. A consommer avec modération.

préparation
20 mn

repos
30 mn

10 mn

coût

€ € €

difficulté

★ ★ ★

ou

x1

x1

Macaron Chocolat Coco

Ingrédients

Pour les coques :

1 cuil. à soupe de noix de coco
râpée

2 cuil. à soupe de cacao en poudre

Pour la garniture :

75 g de crème fraîche liquide
entière

220 g de chocolat blanc

30 g de noix de coco râpée

2 cuil. à soupe de lait de coco

1 **Coques :**
Ajouter au macaronnage la noix de coco et 1 cuillère à soupe de cacao finement mixés et tamisés. Après cuisson, saupoudrer les coques de cacao en poudre.

2 **Garniture :**
Verser la crème fraîche dans une casserole et porter doucement à ébullition. Ajouter la noix de coco râpée, le lait de coco, bien mélanger. Couvrir et laisser cuire à petit feu pendant 5 minutes.

3 Pendant ce temps, concasser le chocolat blanc.

4 Retirer la casserole du feu. Y verser le chocolat blanc concassé et fouetter pour faire fondre et bien mélanger.

5 Laisser tiédir la préparation à température ambiante avant de verser dans la poche à douille. Conserver les macarons à température ambiante.

préparation
10 mn

repos
30 mn

5 mn

coût €€€

difficulté ★★★

x1   ou   x1

Macaron Chocolat Verveine

Ingrédients

Pour les coques :

2 cuil. à soupe de cacao en poudre

Pour la garniture :

200 g de chocolat noir 70%

125 ml de crème fraîche entière liquide

1 cuil. à soupe de verveine sèche

1 **Coques :**
Ajouter au macaronnage le cacao finement mixé et tamisé.

2 **Garniture :**
Faire chauffer à feu doux la crème fraîche avec la verveine, couvrir, laisser infuser 15 minutes puis filtrer.

3 Remettre la crème dans la casserole et porter à ébullition.

4 Pendant ce temps, concasser le chocolat, le déposer dans un bol cul de poule. Verser la crème fraîche chaude en une fois, attendre 1 minute puis fouetter vivement la préparation.

5 Laisser tiédir la préparation avant de verser dans la poche à douille. Conserver les macarons à température ambiante.

préparation
15 mn

repos
30 mn

5 mn

coût
€ € €

difficulté
★ ★ ★

x1 ou x1

Macaron tout Praliné

Ingrédients

Pour les coques :

1 cuil. à soupe de noisettes

1 cuil. à café de praliné
en poudre

Pour la garniture :

200 g de beurre doux pommade

½ cuil. à café de miel

50 g de sucre glace

1 cuil. à soupe de lait entier

100 g de pralinoise

½ cuil.à café de cacao
en poudre ou fève tonka râpée

1 **Coques :**
Ajouter au macaronnage les noisettes finement broyées et tamisées. Après cuisson, saupoudrer de praliné en poudre.

2 **Garniture :**
Concasser la pralinoise et la verser dans une casserole au bain-marie. Faire fondre doucement puis réserver à température ambiante hors du feu.

3 Placer le beurre et le sucre glace dans un bol cul de poule en inox. Battre au fouet électrique jusqu'à obtenir une consistance crémeuse.

4 Ajouter la pralinoise au mélange, petit à petit, tout en fouettant, et finir par la cuillère à soupe de lait et le miel. Verser la préparation dans la poche à douille.

5 Rouler délicatement les macarons garnis dans le cacao en poudre ou la fève tonka râpée pour adhérer à la garniture.

préparation
30 mn

10 mn

coût
€ € €

difficulté
★ ★ ★

x1   ou   x1

Garniture Crèmes

Les crèmes sont traditionnellement réalisées à base de crème fraîche ou de beurre. Elles se conservent durant 3 jours au réfrigérateur dans une boite hermétique, mais leur congélation est déconseillée.

La base crème mousseline :

C'est une base de crème anglaise à laquelle on ajoute des blancs d'œufs en neige.

Ingrédients

400 g de lait entier

3 œufs

80 g de sucre en poudre

1 gousse de vanille

1 pincée de sel

1   Séparer les jaunes des blancs d'œufs.

2   Ajouter le sucre dans les jaunes d'œufs et battre au fouet jusqu'à ce que la préparation soit mousseuse. Réserver.

3   Verser le lait dans une casserole. Ouvrir la gousse de vanille, gratter les graines avec la pointe d'un couteau et les mélanger au lait. Plonger la gousse dans le lait. Porter doucement à ébullition.

4   Lorsque le lait est bouillant, retirer du feu, ôter la gousse de vanille et verser sur le mélange jaunes d'œufs et sucre. Remuer au fouet puis reverser dans la casserole et faire épaissir à feu doux tout en remuant continuellement. La préparation est prête lorsqu'elle nappe la cuillère. Retirer du feu et laisser refroidir à température ambiante.

5   Pendant ce temps, battre les blancs d'œufs en neige avec une pincée de sel.

6   Lorsque la crème anglaise est refroidie, l'incorporer délicatement aux blancs d'œufs en soulevant la masse par le dessous.

7   Ajouter les ingrédients souhaités pour parfumer la crème puis verser dans la poche à douille.

La base crème pâtissière

C'est une base de crème anglaise à laquelle on ajoute de la farine.

Ingrédients

400 g de lait entier

3 jaunes d'œufs

40 g de farine

80 g de sucre

1 gousse de vanille

1 pincée de sel

1 Suivre les étapes 1 à 4 de la crème mousseline.

2 Lorsque la crème anglaise est refroidie, ajouter la farine en pluie et bien mélanger.

3 Porter à ébullition, retirer du feu et laisser refroidir à température ambiante.

4 Lorsque la préparation est refroidie, ajouter les ingrédients souhaités pour parfumer la crème puis verser dans la poche à douille.

La base crème au beurre

Ingrédients

200 g de beurre entier
(ne pas utiliser de beurre allégé, la recette ne fonctionnera pas !)

150 g de sucre glace

1 Couper le beurre en petits morceaux et le déposer dans un bol ou dans la cuve d'un robot. Ajouter le sucre.

2 Battre jusqu'à obtention d'une pommade.

3 Ajouter les ingrédients souhaités pour parfumer la crème puis verser dans la poche à douille.

Les déclinaisons

Tous les ingrédients présentés avec la garniture ganache **(pages 20 et 21)** se marient parfaitement avec ces bases de crèmes. On peut y ajouter également des parfums plus subtils tels que le garam massala, des clous de girofle, des graines d'anis ou de l'essence de badiane, de l'eau de fleur d'oranger ou de rose, du sirop d'orgeat.

préparation 10 mn

10 mn

coût €€€

difficulté ★★★

Macarons à la Chibouste Vanillée

Ingrédients

Pour les coques :

1 gousse de vanille ou de l'extrait de vanille

2 cuil. à soupe d'amandes effilées

Pour la garniture :

½ litre de lait

1 gousse de vanille ou de l'extrait de vanille

5 jaunes d'œufs

70 g + 70 g de sucre semoule

50 g de farine ou de maïzena

2 feuilles de gélatine

10 cl de crème fraîche entière liquide

1 **Coques :**
Ajouter au macaronnage les graines prélevées sur la gousse de vanille ou 2 gouttes d'extrait de vanille. Après cuisson, saupoudrer d'amandes.

2 **Garniture :**
Verser le lait dans une casserole. Ajouter les graines prélevées sur la gousse de vanille, la gousse ouverte, 35 g de sucre et mélanger. Porter doucement à ébullition.

3 Faire tremper la gélatine dans de l'eau froide.

4 Verser les jaunes d'œufs dans un bol. Ajouter 35 g de sucre. Fouetter pour obtenir un mélange bien blanc puis ajouter la maïzena ou la farine. Réserver.

5 Lorsque le lait parvient à ébullition, le retirer du feu, ôter la gousse de vanille et verser sur le mélange œuf sucre, en fouettant. Reverser dans la casserole et porter à ébullition en fouettant constamment. Poursuivre la cuisson quelques minutes en fouettant. Retirer du feu. Ajouter la gélatine pressée et égouttée.

6 Verser la préparation dans un bol cul de poule. Laisser refroidir à température ambiante. Couvrir puis réfrigérer.

7 Pendant ce temps verser les 70 g de sucre restant dans une casserole à fond épais. Faire chauffer doucement sans mélanger jusqu'à ce que le sucre fonde et devienne caramel. Préparer une feuille à pâtisserie ou une plaque de cuisson en silicone Mastrad (ou à défaut une plaque à pâtisserie revêtue de papier sulfurisé, une plaque de marbre ou d'inox huilées). Y verser le caramel. Laisser refroidir puis concasser. Réserver.

8 Verser la crème fraîche dans un bol cul de poule et monter en Chantilly au fouet. Incorporer la Chantilly à la crème anglaise, en soulevant la masse par le dessous, puis le caramel concassé. Verser dans la poche à douille et réserver au frais jusqu'au garnissage.

préparation
15 mn

10 mn

coût
€ € €

difficulté
★ ★ ★

x1   ou   x1

Macaron à la Fleur d'Oranger

Ingrédients

Pour les coques :

2 gouttes d'arôme orange amère, ou 1 goutte d'huile essentielle à l'orange douce

1 cuil. à soupe de fleurs d'oranger séchées

Pour la garniture :

½ litre de lait

1 gousse de vanille ou de l'extrait

5 jaunes d'œufs

70 g de sucre semoule

50 g de farine ou de maïzena

1 cuil. à café d'eau de fleur d'oranger

2 cuil. à soupe de pignons

1 **Coques :**
Ajouter au macaronnage 2 gouttes d'arôme orange amère ou 1 goutte d'huile essentielle orange douce. Après cuisson, saupoudrer les coques de fleurs d'oranger séchées.

2 **Garniture :**
Verser le lait dans une casserole. Ouvrir la gousse de vanille, gratter les graines et les mélanger au lait. Plonger la gousse dans le lait. Ajouter 35 g de sucre et mélanger. Porter doucement à ébullition.

3 Pendant ce temps, verser les jaunes d'œufs dans un bol. Ajouter 35 g de sucre. Fouetter pour obtenir un mélange bien blanc puis ajouter la maïzena ou la farine. Réserver.

4 Lorsque le lait arrive à ébullition, le retirer du feu, ôter la gousse de vanille et verser progressivement sur le mélange jaune d'œufs et sucre, tout en fouettant.

5 Verser la préparation dans la casserole, porter à ébullition en fouettant constamment. Poursuivre la cuisson quelques minutes en fouettant.

6 Retirer du feu et laisser refroidir à température ambiante. Après refroidissement ajouter l'eau de fleur d'oranger à la préparation, fouetter. Poêler à sec les pignons puis les concasser et les ajouter à la préparation. Mélanger, verser dans la poche à douille et réserver au frais jusqu'au garnissage.

préparation
20 mn

repos
2 h

5 mn

coût

difficulté

Macarons Pistache Abricot

Ingrédients

Pour les coques :

1 cuil. à soupe de poudre de thé matcha

2 cuil. à soupe de pistache nature

Pour la garniture :

2 jaunes d'œufs

10 cl de crème fraîche liquide

50 g de pâte à pistache

20 g de beurre ramolli

2 sachets de sucre vanillé

10 g d'abricots moelleux

1 **Coques :**

Ajouter au macaronnage la poudre de thé matcha mixée et tamisée. Après cuisson, saupoudrer les coques de pistaches concassées.

2 **Garniture :**

Faire tiédir la crème fraîche liquide dans une casserole. Retirer du feu. Ajouter un sachet de sucre vanillé, la pâte de pistache en morceau et fouetter pour bien mélanger.

3 Remettre sur le feu et porter à ébullition. Réserver.

4 Mélanger les jaunes d'œufs avec le deuxième sachet de sucre vanillé, fouetter le mélange jusqu'à ce qu'il blanchisse. Ajouter petit à petit dans la préparation à la pistache. Bien mélanger puis faire chauffer doucement pour atteindre 85°C (à vérifier avec la thermo-sonde). Cesser la cuisson dès que la température est atteinte et laisser refroidir.

5 Ajouter le beurre ramolli, bien mélanger puis verser dans la poche à douille et réfrigérer pendant 2 heures minimum.

6 Emincer finement les abricots moelleux. Les déposer dans une soucoupe. Garnir les macarons avec la préparation aux pistaches puis les rouler délicatement dans les abricots pour qu'ils adhérent à la crème. Conserver au frais jusqu'à dégustation.

préparation 10 mn · repos 12 h · 3 mn · coût €€€ · difficulté ★★★

Garnitures Légères

Les macarons peuvent aussi être garnis avec des préparations plus légères que les ganaches et crèmes traditionnelles. Voici quelques idées simples et délicates au goût ! Ces préparations se conservent au réfrigérateur durant 7 jours dans une boite hermétique, mais leur congélation est déconseillée.

La base mousse

Ingrédients

200 g de chocolat noir à 70 % de cacao minimum

6 œufs

Mousse au chocolat noir

1. Séparer les jaunes des blancs d'œufs et les déposer dans deux bols.

2. Concasser finement le chocolat et le mettre au bain-marie. Faire fondre doucement puis remuer au fouet. Laisser refroidir puis ajouter les jaunes d'œufs.

3. Battre les blancs d'œufs en neige avec une pincée de sel.

4. Lorsque la préparation au chocolat est refroidie, incorporer délicatement les blancs d'œufs : quart par quart en soulevant la masse par le dessous pour ne pas casser les blancs d'œufs. Ajouter à la mousse les ingrédients souhaités pour parfumer.

5. Laisser reposer au réfrigérateur durant 12 heures, avant de verser dans la poche à douille et garnir.

Ingrédients

300 g de coulis de fruits

4 blancs d'œufs

Gélifiant : 1 g d'agar-agar ou 2 feuilles de gélatine

Mousse aux fruits

1. Laver, émincer, épépiner ou dénoyauter selon le cas les fruits choisis (pêches, fraises, melons, poires,...). Les placer dans un blender et réduire en coulis.

2. Préparer le gélifiant choisi selon son mode d'emploi et l'ajouter au coulis. Bien mélanger.

3. Battre les blancs d'œufs en neige avec une pincée de sel. Les incorporer délicatement au coulis de fruit : quart par quart en soulevant la masse par le dessous pour ne pas casser les blancs d'œufs. Ajouter à la mousse les ingrédients souhaités pour parfumer.

4. Laisser reposer au réfrigérateur durant 12 heures, avant de verser dans la poche à douille et garnir.

La base Chantilly
Ingrédients

½ litre de crème fraîche liquide entière

75 g de sucre glace

1 sachet de sucre vanillé

1 Mélanger la crème fraîche aux sucres. Ajouter les ingrédients souhaités pour parfumer.

2 Verser la préparation dans la cuve du siphon. Percuter avec une cartouche de gaz, secouer 2 à 3 fois tête en bas.

3 Placer au réfrigérateur à l'horizontale jusqu'à utilisation. Siphonner directement sur les coques de macaron.

La base mascarpone
Ingrédients

250 g de mascarpone

60 g de sucre glace (facultatif)

1 Déposer le mascarpone dans un bol et le fouetter pour lui donner une texture onctueuse.

2 Sucrer au choix avec du sucre glace (ou saler), ajouter les ingrédients souhaités pour parfumer la crème.

3 Verser dans la poche à douille.

La base tofu soyeux
Ingrédients

250 g de tofu soyeux

Gélifiant : 2 feuilles de gélatine

60 g de sucre glace (facultatif)

Le tofu soyeux est une préparation fraiche faite à base de lait de soja. Il est à choisir de préférence bio (sans OGM). Sa texture ressemble à du fromage frais.

1 Préparer le gélifiant selon son mode d'emploi et l'ajouter au tofu soyeux. Bien mélanger.

2 Sucrer au choix avec du sucre glace, ajouter les ingrédients souhaités pour parfumer la crème.

3 Verser dans la poche à douille et garnir les macarons.

préparation
15 mn

repos
2 h

5 mn

coût

difficulté

★ ★ ★

0,5 x1   x1   ou   x1

Macaron Mousse Chocolat Cardamome Eclats de Marron

Ingrédients

Pour les coques :

2 cuil. à soupe de cacao
en poudre

Pour la garniture :

250 ml de crème de soja

3 cosses de cardamome

1 tour de moulin à poivre

50 g de cacao amer

50 g de sucre glace

1 g d'agar-agar

4 marrons glacés

1 **Coques :**
Ajouter au macaronnage 1 cuillère à soupe de poudre de cacao finement mixée et tamisée. Après pochage, poivrer légèrement les coques de macarons au moulin à poivre (choisir un poivre parfumé de type Sichuan et les saupoudrer de cacao en poudre).

2 **Garniture :**
Ouvrir les cosses de cardamome et retirer les graines, les poêler à sec, laisser refroidir.

3 Verser la crème de soja dans une casserole à fond épais, ajouter le poivre, le cacao amer et les graines de cardamome. Bien mélanger. Faire chauffer doucement et porter à ébullition. Ajouter le sucre glace et l'agar-agar, bien mélanger. Attendre l'ébullition puis retirer du feu, couvrir et laisser tiédir à température ambiante.

4 Passer la préparation au tamis fin, mettre dans la cuve du siphon, fermer et percuter une cartouche de gaz. Mettre le siphon au réfrigérateur en position couchée pendant 2 heures minimum.

5 Pendant ce temps, briser délicatement en petits morceaux les marrons glacés.

6 Disposer la moitié des coques sur un plat de service. Siphonner sur chaque coque une noisette de mousse. Glisser au cœur de la crème quelques éclats de marron. Refermer avec les coques restantes. Conserver au frais jusqu'à dégustation.

préparation
15 mn

repos
12 h

coût

difficulté ★ ★ ★

x 1   ou   x 1

Macaron Léger au Parfum d'Agrumes

Ingrédients

Pour les coques :

½ cuil. à café de poudre de Yuzu (petit agrume cousin du citron vert, utiliser à défaut des zestes de citron vert)

1 cuil. à soupe d'orange confite

Pour la garniture :

250 g de tofu soyeux

1 mandarine non traitée

50 g de sucre glace

1   **Coques :**
Ajouter au macaronnage la poudre de Yuzu finement mixée et tamisée. Après cuisson, saupoudrer les coques de morceaux d'orange confite émincée.

2   **Garniture :**
Prélever les zestes de mandarines, les faires blanchir 30 secondes à l'eau bouillante, les refroidir immédiatement et les tailler en fine brunoise, réserver.

3   Verser le tofu soyeux dans un bol cul de poule. Battre avec un fouet jusqu'à ce qu'il devienne mousseux. Ajouter le sucre glace et les zestes de mandarines, bien mélanger.

4   Couvrir la préparation et la réfrigérer pendant 12 heures avant de verser dans la poche à douille et garnir. Conserver les macarons au réfrigérateur jusqu'à dégustation.

préparation
15 mn

repos
2 h

3 mn

coût
€ € €

difficulté
★ ★ ★

x 1   ou   x 1

Macaron à la Tiramisu

Ingrédients

Pour les coques :

2 gouttes d'extrait de café

50 g chocolat

1 cuil. à soupe d'orange confite

Pour la garniture :

250 g de mascarpone

1 jaune d'œuf + le blanc

2 sachets de sucre vanillé

1 feuille de gélatine

2 cuil. à soupe de lait

1 cuil. à soupe de cacao amer

1 **Coques :**
Ajouter au macaronnage l'extrait de café. Après cuisson, décorer les coques d'un filet de chocolat **(voir technique en pages 16-17).**

2 **Garniture :**
Plonger les feuilles de gélatine dans l'eau froide.

3 Verser le mascarpone dans un bol cul de poule. Ajouter le sucre vanillé et le jaune d'œuf. Bien mélanger. Réserver.

4 Faire chauffer le lait, y déposer la gélatine essorée, bien mélanger puis l'ajouter à la préparation.

5 Monter le blanc en neige ferme puis l'ajouter délicatement à la préparation en soulevant la masse par le dessous avec une maryse en silicone. Verser la préparation dans la poche à douille et réfrigérer pendant 2 heures minimum.

6 Après assemblage, conserver au frais jusqu'à dégustation.

Garnitures fruitées

Les macarons s'associent particulièrement bien avec des fruits, sous toutes leurs formes. Voici quelques idées d'associations pour agrémenter à l'infini vos créations !

Les fruits frais

- Tous les fruits frais peuvent être utilisés pour garnir des macarons. Selon leur taille et leur texture, ils se placent entiers (groseilles, myrtilles ou cassis, framboises, mures), ou émincés (fraises, cerises, abricots, pêches, oranges, mandarines, pommes, poires, mangues, melon, litchis, figues, bananes, ananas, prunes...) et se mélangent à l'infini.
- Pour éviter de détremper le macaron, les fruits qui exsudent du jus (melon ou ananas par exemple) ne doivent être dressés sur les coques que peu de temps avant le service.
- Les fruits « coulants » tels que les fruits de la passion, s'utilisent avec une base qui leur donnera de la tenue : ganache, crème traditionnelle ou légère, ou se mélangent à des fruits plus texturés.
- Les fruits frais peuvent aussi être réduits en purée crue. Selon la texture obtenue, il conviendra d'y ajouter une base de ganache ou de crème, ou bien du fromage frais, ou encore de la gelée alimentaire, pour que la consistance soit suffisante pour dresser les macarons.
  En revanche, il faut éviter l'ajout de sucre qui fera rendre du jus aux fruits, ce qui risquerait d'affaisser la texture de la garniture.

Les fruits moelleux et secs

- Les fruits moelleux (figues, abricots, bananes...) et fruits secs (pistaches, amandes, noix, noix de pécan ou de macadamia, noisettes, cacahuètes, canneberges, raisins secs...) s'utilisent en complément d'autres ingrédients qui donnent la tenue nécessaire pour garnir les macarons.
- Les fruits moelleux s'émincent ou se réduisent en purée (au robot). Les fruits secs se dorent à la poêle sans matière grasse pour exhaler leur goût puis se concassent.
- Vous pouvez mixer ensemble plusieurs fruits secs et moelleux puis les lier avec un peu de miel pour obtenir une tenue suffisante (par exemple figues moelleuses avec des pignons et des noisettes ou abricots moelleux avec amandes et canneberges), ou ajouter une base de ganache, de crème ou du fromage frais crémeux (brebis, chèvre ou vache...).

- Les canneberges, raisins secs, abricots retrouvent leur moelleux après avoir trempé dans un peu d'eau ou de thé tiède.
- Les fruits frais et secs se marient parfaitement (fraises et pistaches, poires et noix de macadamia, bananes et noix de pécan...).

Les fruits cuits

- Les ananas, bananes, pommes et poires, prunes, pêches, oranges, framboises sont parfaits en compotée. Pensez aussi aux potirons, tomates et patates douces !
- Les fruits se cuisent doucement, dans une casserole sans couvercle, avec un peu d'eau et de sucre et des épices (cannelle) ou du gingembre frais râpé.
- Un gélifiant peut être ajouté pour améliorer la tenue de la préparation.

Les petits plus

Toutes ces préparations de fruits frais, moelleux et secs, crues et cuites s'agrémentent de tous les ingrédients présentés avec les garnitures ganache **(pages 20 et 21)** et crèmes **(pages 28-29)** :
Selon les cas, et votre goût, ils s'ajoutent à la préparation crue ou s'utilisent seulement pour mariner les fruits, cuisent avec les préparations chaudes ou s'ajoutent avant le dressage.
Jouez par exemple avec :
- des herbes fraîches émincées (menthe fraîche avec du melon, basilic avec des fruits rouges ou des pêches blanches, coriandre avec des oranges), gingembre frais émincé (avec les fraises, les pêches, l'ananas), herbes ou fleurs séchées (thym citronné avec des fruits rouges, lavande ou romarin avec des abricots, fleur d'oranger avec des fraises, bleuet avec des myrtilles, verveine avec des pêches).
- des épices (le poivre de Sichuan révèle le goût des fraises, la cannelle sur des poires, le mélange à pain d'épices sur des pommes), du cacao et de la fève tonka.
- des petites graines (sésame sur des abricots, vanille sur des poires, pavot sur des pêches, fenouil ou anis sur du melon, pignons sur des prunes...).
- une touche d'arôme (fleur d'oranger avec des fraises, eau de rose avec des pêches blanches, jus de citron vert avec de l'ananas...), alcools et liqueurs* avec son fruit frais (Cointreau ou Grand Marnier avec des oranges ou clémentines, Kirsch avec des cerises, eaux de vie de framboises, poires, liqueurs de pêche de vigne, cassis, litchi, mûre), etc.

préparation 30 mn · repos 2 h · 5 x 4 mn · coût €€€ · difficulté ★★★

ou x1 · x1

Macarons Tutti Frutti en Gelée

Ingrédients

Pour les coques :

1 cuil. à soupe de jus de myrtilles

1 cuil. à soupe de jus de betterave

quelques filaments de safran
une pincée de paprika

Pour la garniture :

150 g de chair de melon bien mûr

150 g de myrtilles ou de cassis

150 g de fraises ou framboises

150 g de jus d'orange

1 citron

3 feuilles de gélatine

60 g de sucre en poudre

1 branche de basilic frais

10 feuilles de menthe fraîche
1 cuil. à soupe de thym frais

1 **Coques :**
Répartir le macaronnage dans 4 bols. Ajouter dans le 1er bol : 1 cuillère à soupe de jus de myrtilles ou de cassis, dans le 2e bol : 1 cuillère à soupe de jus de betterave, dans le 3e bol : le safran, et dans le 4e bol : le paprika.

2 **Garnitures :**
Faire tremper la gélatine dans l'eau froide. Emincer le melon. Emincer les fraises. Prélever le zeste de l'orange puis presser pour recueillir le jus.

3 Détailler la chair du melon en petits morceaux et la déposer dans la cuve d'un blender. Ajouter les feuilles de basilic, 15 g sucre et 1 cuillère à soupe de jus de citron. Mixer très finement la préparation et la passer au tamis fin en pressant bien pour récupérer les sucs et le jus. Réserver.

4 Procéder de même avec les myrtilles ou les cassis.

5 Procéder de même avec les fraises ou les framboises en ajoutant le thym.

6 Procéder de même avec le jus d'orange en ajoutant la menthe fraîche, sans ajouter de citron.

7 Essorer la gélatine, la faire fondre doucement dans une casserole avec un peu d'eau puis répartir également dans les 4 préparations aux fruits. Bien mélanger. Filmer les bols et les réfrigérer pendant 2 heures.

8 Garnir les macarons colorés avec les préparations assorties et les conserver au frais jusqu'au service.

préparation
30 mn

repos
1 h

10 mn

coût
€ € €

difficulté
★ ★ ★

x1   ou   x1

Macaron Framboise Extrême

Ingrédients

Pour les coques :

Facultatif : 10 feuilles de menthe fraîche émincées

1 cuil. à soupe de coulis de framboise

Pour la garniture :

150 g de crème chibouste préparée selon la recette de base (page 28)

1 cuil. à café de zeste de citron vert ou 1 cuil. à café d'arôme parfum citron

2 barquettes de framboises fraîches

Facultatif : 1 cuil. à soupe d'eau de vie de framboise*

1 **Coques :**
Ajouter au macaronnage 1 cuillère à soupe de coulis de framboise.

2 **Garniture :**
Ajouter à la crème chibouste froide les zestes de citron (ou l'extrait de citron), et, selon votre goût, 1 cuillère à soupe d'eau de vie de framboise puis fouetter. Verser dans la poche à douille et réserver au frais 1 heure.

3 Disposer 9 demi-coques de macarons sur un plat de service. Monter la douille étoile sur la poche, et déposer délicatement la crème en formant un beau serpentin sur le pourtour de chaque macaron.

4 Placer harmonieusement les framboises sur la crème et refermer le macaron sans appuyer. Réserver au frais.

5 Au moment de servir, émincer les feuilles de menthe fraîche en fines lamelles, passer le doigt humidifié à l'eau sur les coques puis parsemer les feuilles de menthe émincées.

* L'abus d'alcool est dangereux pour la santé. A consommer avec modération.

préparation 30 mn
ou
×1 ×1
repos 1 h
10mn
100°C Th 3-4 1 h
congel 4h
coût € € €
difficulté ★ ★ ★

Macaron Tropical Glacé

Ingrédients

Pour les coques :

1 fruit de la passion

1 citron vert

Pour la garniture :

1 ananas Victoria bien mûr

1 belle carambole

125 ml d'eau

150 g de sucre

1 citron vert

1 petit morceau de gingembre frais

1 **Coques :**
Ajouter au macaronnage 2 cuillères à soupe du jus de fruits de la passion filtré.

2 **Garniture :**
Découper l'ananas et le carambole en petits morceaux. Presser le citron. Emincer finement le gingembre.

3 Verser l'eau dans une casserole. Ajouter le sucre. Chauffer jusqu'à l'obtention d'un sirop. Ajouter l'ananas, le jus de citron et le gingembre, retirer du feu. Couvrir et laisser infuser 5 minutes.

4 Mixer finement la préparation au blender ou avec un mixer plongeant. Laisser refroidir à température ambiante.

5 Ajouter l'équivalent de 2 cuillères à soupe de carambole, bien mélanger puis verser dans une sorbetière et faire prendre en sorbet.

6 A défaut de sorbetière, verser dans un plat assez large, couvrir et mettre au congélateur. Fouetter toutes les 30 minutes jusqu'à obtenir la consistance désirée.

7 Pendant ce temps, préchauffer le four à 100°C et préparer une feuille à pâtisserie ou une plaque de cuisson en silicone Mastrad (ou à défaut une plaque à pâtisserie revêtue de papier sulfurisé). Découper le citron vert en tranches très fines puis les couper en 4. Les déposer sur la plaque. Enfourner pendant 1 heure.

8 Sortir le sorbet du congélateur 30 minutes avant de monter les macarons. Disposer les coques nues sur un plat de service. Déposer sur chacune une petite noix de sorbet. Refermer puis finir par une tranche de citron séchée. Servir immédiatement.

Macarons salés

Etonnez vos convives avec de délicats macarons salés aux saveurs originales.
Sucré et salé se marient à merveille.
Vos créations allieront goût charmeur et belle présentation pour des réceptions réussies.

préparation 15 mn · 1 h · coût · difficulté ★ ★ ★

Macaron Butternut Chantilly de Brebis

Ingrédients

Pour les coques :

1 cuil. à soupe de graines de pavot blanches

1 cuil. à soupe de graines de pavot noires

Pour la garniture :

200 g de chair de courge Doubeurre - butternut

½ cuil. à café de cannelle

1 oignon doux

30 g de noix

1 écorce de macis de muscade

2 cuil. à soupe d'huile d'olive

125 ml de crème fraîche entière liquide

50 g de fromage de brebis frais

2 g d'agar-agar

Sel, poivre

1 **Coques :**
Après cuisson, saupoudrer les coques de graines de pavot noires et blanches mélangées.

2 **Garniture :**
Emincer l'oignon. Retirer l'écorce de la courge et la couper en morceaux. Concasser les noix.

3 Verser l'huile dans une casserole à fond épais, chauffer doucement, ajouter l'oignon et laisser blondir doucement. Ajouter la chair de butternut, la cannelle, le macis, bien mélanger et laisser cuire à feu doux pendant 30 minutes (une lame de couteau doit traverser la chair facilement).

4 Retirer le bâton de cannelle et le macis, ajouter les noix concassées et mixer finement la préparation avec un mixer plongeant.

5 Remettre sur le feu, ajouter l'agar-agar, porter à ébullition, poursuivre la cuisson 1 minute. Laisser refroidir à température ambiante puis verser dans la poche à douille.

6 Pendant ce temps, verser la crème fraîche dans un bol cul de poule, écraser le fromage de brebis à la fourchette puis l'ajouter à la crème. Saler, poivrer et battre au fouet. Passer la préparation au tamis fin, mettre dans la cuve du siphon, fermer et percuter une cartouche de gaz. Réserver le siphon à l'horizontale au réfrigérateur.

7 Disposer la moitié des coques de macarons sur un plat de service. Déposer sur chaque coque une noix de préparation à la courge puis siphonner une noisette de crème de brebis. Refermer avec les coques restantes. Réserver au frais jusqu'à dégustation.

préparation 10 mn

10mn

100°C Th 3-4 1 h

congel 3h

coût

difficulté

Macaron Sorbet Poivron

Ingrédients

Pour la garniture :

30 coques de petits macarons nature

1 poivron rouge

1 poivron jaune

40 g + 40 g de sucre blanc

1 Préchauffer le four à 100°C - Th 3/4. Préparer une feuille à pâtisserie ou une plaque de cuisson en silicone Mastrad (ou à défaut une plaque à pâtisserie revêtue de papier sulfurisé).

2 Eplucher les poivrons avec un épluche-légumes peaux fines, déposer les peaux sur la plaque. Enfourner pendant 1 heure. Laisser refroidir à température ambiante et réserver.

3 Détailler les poivrons en petits cubes.

4 Verser 200 ml d'eau dans une casserole, ajouter 40 g de sucre, porter à ébullition et plonger la chair du poivron rouge. Réduire le feu et cuire 5 minutes à feu doux. Laisser refroidir. Mixer finement.

5 Répéter la même opération avec le poivron jaune.

6 Placer les préparations dans une sorbetière et faire prendre en sorbet.

7 A défaut de sorbetière, verser dans un plat assez large, couvrir et mettre au congélateur. Fouetter les préparations toutes les 30 minutes jusqu'à obtenir la consistance désirée.

8 Sortir le sorbet du congélateur 30 minutes avant de monter les macarons. Disposer la moitié des coques sur un plat de service. Déposer sur chacune une petite noix de sorbet. Refermer puis décorer de peau de poivron séchée. Servir immédiatement.

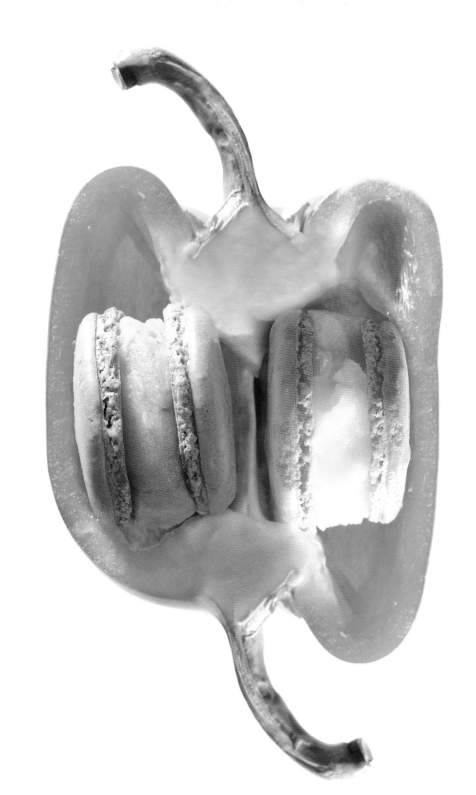

6
petits
macarons

x1   ou   x1

préparation
10 mn

10 mn

coût
€ € €

difficulté
★ ★ ★

Le Canard Macaroné

Ingrédients

Pour les coques :

1 cuil. à soupe de graines de sésame

Poivre du moulin

Mélange quatre-épices

Pour la garniture :

1 magret de canard dégraissé

150 g de foie gras frais

1 branche de persil frais

1 petit oignon frais

1 jaune d'œuf

Sel, poivre du moulin

1 **Coques :**

Ajouter au macaronnage une pointe de couteau de mélange quatre-épices et un tour de moulin à poivre. Après cuisson, saupoudrer de graines de sésame préalablement poêlées à sec.

2 **Garniture :**

Retirer la peau du magret de canard, le découper en 4 à 5 morceaux et le déposer dans la cuve du robot muni d'un cutter. Ajouter l'oignon épluché coupé en 4, le jaune d'œuf et la branche de persil. Mixer grossièrement. Former de petits steaks hachés de la taille des coques de macarons.

3 Faire rapidement revenir les steaks dans une poêle antiadhésive, sans matière grasse, sans laisser prendre coloration, réserver au chaud.

4 Essuyer la poêle et la faire chauffer à feu vif sans matière grasse.

5 Détailler le foie gras en 6 escalopes, les faire rapidement revenir dans la poêle chaude 30 secondes de chaque côté.

6 Placer un steak sur 6 coques de macaron, poser délicatement la tranche de foie gras poêlée sur le steak, saler et poivrer, refermer avec les coques restantes, servir aussitôt.

0,5
x1

6
petits
macarons

x1   ou   x1

préparation
15 mn
repos
2 h

5 mn

coût
€ € €

difficulté
★ ★ ★

Macaron au Saumon et sa Chantilly d'Aneth

Ingrédients

Pour les coques :

1 cuil. à café d'aneth séché
ou frais émincé

Pour la garniture :

250 ml de crème fraîche entière
liquide

1 + 1 cuil. à café d'aneth séché
ou frais émincé

200 g de saumon fumé

1 pincée de sel fin

1 tour de moulin à poivre

1   Coques :

Ajouter au macaronnage 1 cuillère à café d'aneth.

2   Garniture :

Verser la crème fraîche dans une casserole à fond épais, ajouter 1 cuillère à café d'aneth, saler, poivrer et porter à ébullition. Retirer du feu. Passer la préparation au tamis fin, mettre dans la cuve du siphon, fermer et percuter une cartouche de gaz. Mettre le siphon au réfrigérateur en position couchée pendant 2 heures minimum.

3   Pendant ce temps, tailler les tranches de saumon fumé en fines lanières.

4   Disposer la moitié des coques de macarons sur un plat de service. Y disposer les lanières de saumon. Siphonner sur chaque coque une noisette de crème à l'aneth. Parsemer d'aneth puis refermer avec les coques restantes. Servir aussitôt.

15 petits macarons · x1 · ou · x1 · préparation 10 mn · 15 mn · 175°C Th 5-6 Grill · coût €€€ · difficulté ★★★

Macaron Tatin au Fromage de Chêvre

Ingrédients

Pour la garniture :

30 coques de petits macarons nature

2 pommes golden

30 g de sucre

15 petits fromages de chèvre frais

1 noix de beurre doux

15 feuilles de mâche

Poivre du moulin

1 Eplucher les pommes, les épépiner puis les tailler en petits cubes.

2 Les faire revenir à la poêle avec une noix de beurre, du sucre et un tour de moulin à poivre jusqu'à ce qu'elles colorent légèrement. Elles doivent rester fermes. Laisser refroidir à température ambiante dans une passoire pour qu'elles dégorgent leur humidité.

3 Pendant ce temps, faire chauffer le grill du four à 175°C - Th 5/6.

4 Préparer une feuille à pâtisserie ou une plaque de cuisson en silicone Mastrad (ou à défaut une plaque à pâtisserie revêtue de papier sulfurisé).

5 Disposer les coques de macarons sur la plaque, ajouter sur chacune les cubes de pomme en utilisant un cercle, bien tasser.

6 Déposer un fromage de chèvre sur chaque coque aux pommes, donner un tour de moulin à poivre.

7 Enfourner quelques minutes pour faire légèrement dorer les fromages sous le grill, décorer avec une feuille de mâche et servir aussitôt.

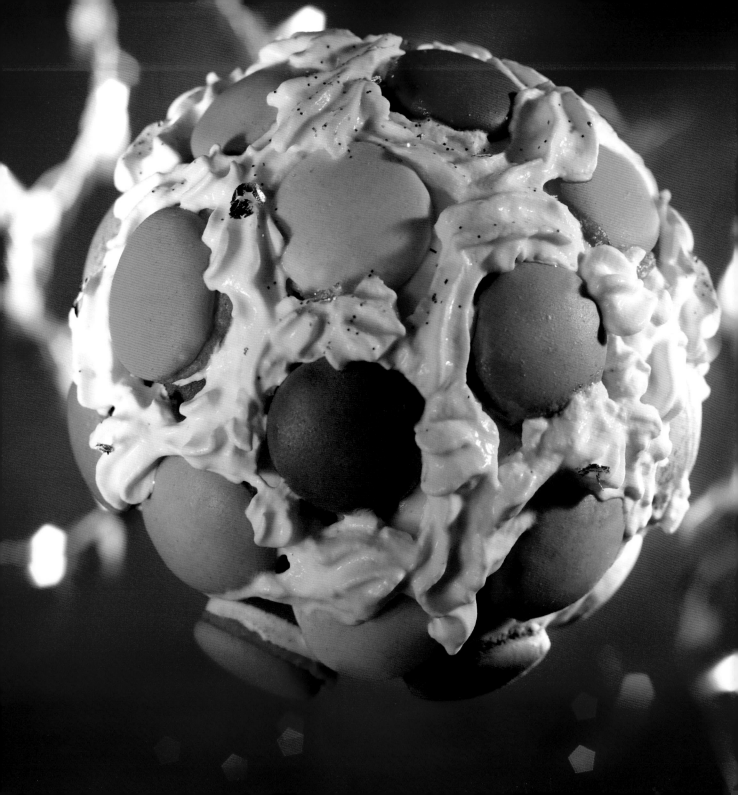

Faux Macarons

Surprenez votre entourage avec ces créations inattendues de délicieuses bouchées façon macaron.
Avec ces recettes, vous créerez la surprise tout en faisant l'unanimité des gourmands !
Laissez parler votre créativité !

12 petits macarons
15 mini-tartelettes lisses x 2
préparation 15 mn
repos 1 h
2 mn
coût € € €
difficulté ★ ★ ★

Tomate Mozza Façon Macaron

Ingrédients

Pour la garniture :

1 botte de basilic frais

2 tomates bien mûres

2 x 1 g d'agar-agar

2 boules de mozzarella di buffala

Sel, poivre du moulin, fleur de sel

1 cuil. à soupe de pesto

Crème de balsamique

1 Dans un blender, mixer finement le basilic avec 125 ml d'eau. Passer la préparation au tamis fin en pressant bien pour récupérer les sucs.

2 Verser le liquide obtenu dans une casserole et porter à ébullition. Saler, poivrer, ajouter 1 g d'agar-agar. Mélanger et cuire à feu doux durant 1 minute.

3 Remplir 12 empreintes du moule avec la préparation au basilic en utilisant une cuillère à soupe.

4 Déposer les tomates coupées en morceaux dans le blender, ajouter 125 ml d'eau et mixer. Passer la préparation au tamis fin en pressant bien pour récupérer les sucs.

5 Verser le liquide obtenu dans une casserole et porter à ébullition. Saler, poivrer, ajouter 1 g d'agar-agar. Mélanger et cuire à feu doux durant 1 minute.

6 Remplir les 12 empreintes restantes du moule avec cette seconde préparation, en utilisant une cuillère à soupe.

7 Réfrigérer pendant 1 heure minimum.

8 Découper les boules de mozzarella en 12 tranches. Démouler les coques de tomates et les coques de basilic.

9 Placer les coques de basilic sur un plat de service, déposer délicatement une tranche de mozzarella, un filet de pesto et une coque à la tomate. Parsemer de fleur de sel, ajouter un trait de crème de balsamique et servir aussitôt.

15 petits macarons	15 mini-tartelettes lisses ×2	préparation 30 mn / repos 1 h	5 mn	180°C Th 6 30 mn	coût € € €	difficulté ★ ★ ★

Polenta en macaronnade à l'aubergine confite

Ingrédients

Pour la garniture :

125 g de polenta précuite

1 aubergine

2 branches de persil frais

1 petit oignon frais

1 filet d'huile d'olive

2 cuil. à soupe de parmesan râpé

625 ml d'eau

Sel, poivre du moulin

1 cuil. à soupe d'herbes fraîches ciselées (romarin, basilic, thym) ou sèches

1 Préchauffer le four à 180°C - Th 6.

2 Verser l'eau froide dans une casserole à fond épais, saler, poivrer et porter à ébullition. Verser en pluie la polenta tout en remuant continuellement au fouet. Ajouter l'herbe choisie. Poursuivre la cuisson à feu doux durant 5 minutes en mélangeant constamment, jusqu'à ce que la polenta se détache des parois.

3 Retirer du feu et déposer la polenta dans les moules à mini-tartelettes à l'aide d'une cuillère. Presser pour que la polenta prenne la forme du moule. Remplir 30 emplacements. Laisser refroidir à température ambiante pendant 1 heure.

4 Pendant ce temps, couper l'aubergine en petits cubes de ½ cm de côté. Eplucher et tailler l'oignon. Prélever les feuilles de persil frais et ciseler.

5 Faire revenir l'oignon dans une sauteuse avec l'huile d'olive. Ajouter l'aubergine et laisser compoter pendant 30 minutes. En fin de cuisson, saler, poivrer et ajouter le persil ciselé.

6 Déposer les 15 coques de polenta sur un plat de service. Déposer sur chacune une petite cuillère de compotée d'aubergine, refermer avec les coques restantes.

7 Saupoudrer légèrement le dessus des « macarons » avec le parmesan râpé. Enfourner quelques minutes dans le four et servir aussitôt.

Déclinaison :

L'aubergine peut être remplacée par des courgettes (compter 2 courgettes), ou des poivrons (compter 2 poivrons).

15 petits macarons

ou

x1   x1

préparation
20 mn

180°C Th 6
30 mn

coût
€ € €

difficulté
★ ★ ★

Tartiflette Macaronne

Ingrédients

Pour la garniture :

4 belles pommes de terre
(pour rissoler)

8 tranches de jambon fumé

½ reblochon

20 ml d'huile d'olive

20 ml de sauce soja

Sel, poivre du moulin

1 Préchauffer le four à 180°C - Th 6. Préparer une feuille à pâtisserie ou une plaque de cuisson en silicone Mastrad (ou à défaut une plaque à pâtisserie revêtue de papier sulfurisé).

2 Eplucher les pommes de terre, les rincer puis les couper en tranches de 1 cm d'épaisseur. Tailler dans les tranches 30 cercles de 4 cm de diamètre avec un emporte-pièce.

3 Verser l'huile d'olive et la sauce soja dans un bol, bien mélanger. Appliquer le mélange huile/soja sur les deux faces des tranches de pommes de terre avec un pinceau et les déposer au fur et à mesure sur la plaque. Mettre au four et cuire pendant 25 minutes.

4 Pendant ce temps, tailler le jambon cru en 15 cercles de 4 cm de diamètre, puis émincer le reblochon.

5 Sortir les pommes de terre du four et les laisser tiédir à température ambiante.

6 Passer le four en mode grill.

7 Déposer un cercle de jambon cru sur les 15 premières tranches de pommes de terre puis une lamelle de reblochon. Finir par une tranche de pomme de terre.

8 Déposer un petit morceau de reblochon sur le chapeau en pomme de terre. Enfourner quelques instants pour gratiner. Servir aussitôt.

15 petits macarons

x 2

15 mini-tartelettes lisses

préparation 10 mn

repos 30 mn

10 mn

coût € € €

difficulté ★ ★ ★

Sushi façon Macaron

Ingrédients

Pour la garniture :

80 g de riz à sushi

1 cuil. à café de vinaigre de riz

100 g de dos de saumon bien frais

1 cuil. à soupe de graines de sésame

1 filet d'huile de sésame

1 cuil. à café de graines de sésame

Sel fin

1 pincée de wasabi en poudre (facultatif)

1 Cuire le riz suivant les instructions. Incorporer le vinaigre de riz, une pincée de sel, bien remuer et laisser refroidir.

2 Placer le riz dans les empreintes du moule à mini-tartelettes, bien tasser, saupoudrer de poudre de wasabi (facultatif). Réfrigérer 30 minutes.

3 Pendant ce temps, tailler le dos de saumon en tranches fines et les badigeonner avec un pinceau de cuisine trempé dans l'huile de sésame.

4 Démouler délicatement les coques de riz et en disposer la moitié sur le plat de service. Y disposer les tranches de saumon, recouvrir avec les coques restantes, saupoudrer de sésame. Servir immédiatement.

15 petits macarons

 x 2
15 mini-tartelettes lisses

préparation
15 mn la veille
+ 15 mn
repos
12 h

120°C Th 4
15 mn

coût
€ € €

difficulté
★ ★ ★

Vermicelles en Macaron à la Mousse de Brandade

Ingrédients

Pour la garniture :

100 g de brandade de morue

100 g de crème fraîche liquide entière

1 pincée de piment de Cayenne

2 brins de ciboulette

1 filet d'huile d'olive

100 g de vermicelles chinois

Sel, poivre du moulin

1 **La veille de la préparation,** déposer la brandade de morue dans un bol cul de poule et la fouetter jusqu'à ce qu'elle devienne mousseuse.

2 **Le jour même,** verser la crème fraîche dans un bol cul de poule en inox, la fouetter en chantilly, ajouter du sel, du poivre, une pointe de couteau de piment de Cayenne, la ciboulette émincée.

3 Mélanger la crème fouettée à la brandade en soulevant la masse avec une maryse en silicone. Mettre cette préparation dans la poche à douille, réfrigérer 12 heures.

4 Sortir la brandade pour la remettre à température ambiante.

5 Préchauffer le four à 120°C - Th 4.

6 Cuire les vermicelles chinois suivant les instructions, bien les égoutter puis les déposer dans les empreintes des moules mini-tartelettes, vaporiser un peu d'huile d'olive (ou badigeonner très légèrement au pinceau), saler, enfourner 15 minutes.

7 Démouler délicatement les coques. En disposer la moitié sur un plat de service, y déposer une noix de mousse de brandade puis refermer les « macarons » avec les coques restantes. Saupoudrer de ciboulette ciselée et servir aussitôt.

Quenelle Rôtie en Macaron, à la Betterave et Gorgonzola

Ingrédients

Pour la garniture :

4 belles quenelles de Lyon natures fraîches

1 betterave cuite

100 g de gorgonzola

1 branche de persil frais

1 filet d'huile de pépin de raisin

1 pincée de piment d'Espelette

Sel, poivre du moulin

1 Détailler les quenelles en 8 tranches moyennes. Verser le filet d'huile dans une poêle, chauffer doucement puis faire revenir les tranches de quenelle à feu doux.

2 Pendant ce temps, éplucher la betterave et la couper en tranches suffisamment fines pour obtenir 16 tranches. Recouper les 16 tranches avec un emporte-pièce rond un peu plus petit que le diamètre des quenelles.

3 Saler et poivrer les tranches de betterave, les saupoudrer de persil frais, réserver.

4 Détailler le gorgonzola en minces copeaux.

5 Retirer les quenelles du feu, saler et poivrer les tranches, saupoudrer d'une pincée de piment d'Espelette.

6 Disposer 8 tranches de quenelles sur un plat de service. Déposer délicatement une tranche de betterave sur chaque quenelle puis quelques copeaux de gorgonzola. Refermer les « macarons » avec les tranches de quenelle restantes.

7 Placer un petit morceau de betterave et décorer chaque chapeau d'un brin de persil. Servir aussitôt.

	12 petits macarons	préparation 30 mn		coût	difficulté
0,5 x 1		repos 30 mn + 2 h	5 mn	€ € €	★ ★ ★

Champignons de Paris en Macarons, Emulsion de Lard

Ingrédients

Pour la garniture :

24 champignons de Paris de taille équivalente avec de beaux chapeaux

250 ml de crème fraîche entière liquide

100 g de lard fumé

1 petit blanc de poireau

1 noix de beurre doux

1 pincée de sel fin

1 tour de moulin à poivre

1 cuil. à soupe de jus de citron (facultatif)

1 Couper le blanc de poireau en rondelles épaisses, bien le nettoyer à l'eau pour retirer le sable.

2 Verser la crème fraîche dans une casserole à fond épais. Ajouter le lard, les rondelles de poireau, le sel et le poivre, porter l'ensemble à ébullition. Retirer immédiatement du feu, couvrir et laisser infuser pendant 30 minutes.

3 Passer la crème au tamis et remplir la cuve du siphon avec cette préparation. Percuter une cartouche de gaz. Mettre le siphon au réfrigérateur en position couchée pendant 2 heures minimum.

4 Pendant ce temps, enlever délicatement le pied des champignons, brosser les têtes, les sécher. Selon votre goût, faire doucement revenir à la poêle les têtes de champignons dans une noix de beurre puis les éponger et refroidir à température ambiante. Ou utiliser les têtes de champignons crues et les badigeonner de jus de citron pour éviter qu'elles ne noircissent.

5 Disposer 12 têtes à l'envers sur un plat de service. Siphonner la crème au lard à l'intérieur des têtes de champignons puis refermer les « macarons » avec les têtes de champignons restantes, servir aussitôt.

20 petits macarons

x 2
15 mini-tartelettes lisses

préparation
30 mn

180°C Th 6
15 à 20 mn

coût
€ € €

difficulté
★ ★ ★

Faux Macarons Parfum de Provence

Ingrédients

Pour les coques :

100 g de farine

1/2 sachet de levure

2 cuill. à soupe d'huile d'olive

5 cl de lait

2 œufs

1 cuill. à soupe d'herbes de Provence séchées

Sel, poivre du moulin

Pour la garniture :

60 g de tapenade noire

60 g de tapenade verte

60 g d'anchoïade

Herbes fraîches : basilic, estragon, thym ou romarin

1   Préchauffez le four à 180°C - Th 6.

2   Versez la farine et la levure dans un saladier. Creuser un puits au centre : y verser l'huile, le lait, le sel et le poivre. Mélanger puis incorporer les œufs un par un. Cette phase de la préparation peut être faite au robot mélangeur. Ajouter les herbes de Provence en mélangeant délicatement.

3   Remplir les empreintes des moules à mini-tartelettes avec la préparation. Tapoter doucement le moule pour évacuer les bulles d'air puis enfourner 15 à 20 minutes.

4   Laisser refroidir à température ambiante.

5   Démouler délicatement les coques. Retailler le dessus pour obtenir une surface lisse. Disposer la moitié des coques sur un plat de service. Tartiner le premiers tiers des coques avec la tapenade noire, le deuxième tiers avec la tapenade verte puis le dernier tiers avec l'anchoïade. Ajouter les herbes fraîches émincées puis recouvrir avec les coques restantes. Servir aussitôt.

Que faire des ratés ?

Les coques de macarons ratées sont idéales pour créer des desserts ! Voici quelques idées pour vous consoler !

Truffes au chocolat croquantes :

Concasser finement 200 g de chocolat noir à 70 % de cacao minimum et le mettre dans un récipient résistant à la chaleur. Verser 200 g de crème fraîche liquide entière dans une casserole, porter doucement à ébullition puis verser sur le chocolat. Attendre 1 minute puis remuer doucement au fouet en cercles concentriques pour finir de fondre le chocolat et le mélanger à la crème. Ajouter 1 cuillère à café de miel au parfum bien prononcé (sapin ou châtaigner), et 50 g de beurre doux pommade. Ajouter en dernier 100 g de coques de macaron réduites en miettes. Réfrigérer 30 minutes. Façonner de petites boules de la taille d'une noix. Rouler dans un peu de poudre de cacao. Conserver au frais jusqu'à dégustation.

Crumbles :

Remplacer la pâte à crumble par de grosses miettes de coques de macarons à répartir sur la base de fruits avant d'enfourner.

Cheesecake :

Remplacer la pâte par de grosses miettes de coques de macarons.

Pour agrémenter des mousses, sorbets et glaces, soupes de fruits, fromages blancs :
Concasser les coques et saupoudrer au-dessus de mousses au chocolat ou aux fruits (voir recettes en pages 36 et 37), de coupes de sorbets et glaces ou de fromage blanc battu.

Rochers :

Mixer au robot 100 g de coques de macarons, 2 cuillères à soupe de noix coco ou de fruits secs, 1 cuillère à café de miel et 10 g de blancs d'œufs. Façonner de petites boules et les déposer sur une feuille à pâtisserie ou une plaque de cuisson en silicone Mastrad (ou à défaut une plaque à pâtisserie revêtue de papier sulfurisé). Enfourner 15 minutes à 120 °C - Th 4.

Macarons minute !

Pour créer en un clin d'œil des macarons variés prêts à déguster, il suffit (presque !) d'ouvrir son placard !

Comme les coques de macarons se congèlent très bien, n'hésitez pas à fabriquer plusieurs plaques pour en avoir d'avance. Il vous suffira ensuite de les dégeler au réfrigérateur 12 heures avant utilisation.

Toutes les textures qui ont un peu de tenue peuvent être utilisées pour garnir les petites coques et il suffit de les customiser pour faire d'heureux gourmands.

Utilisez par exemple :
- De la pâte à tartiner aux noisettes et saupoudrez un peu de poudre de cacao sur les coques ou bien roulez les macarons garnis dans des noisettes concassées.
- De la crème de marron avec des éclats de marrons glacés glissés dans la garniture.
- Des confitures avec un peu d'arôme (par exemple de la confiture de framboise avec de l'eau de rose, de la marmelade d'orange avec un peu de Grand Marnier*).
- De la crème d'amande sucrée ou non, avec des fruits rouges frais entiers ou émincés.
- De la pâte à spéculoos avec une coque au chocolat.
- Du lemon curd avec des zestes frais de citron.
- De la crème de sésame ou Tahiné avec un peu de miel.
- De la confiture de lait avec des éclats de chocolat, etc.
- Les idées sont infinies !

Du travail mais surtout beaucoup de plaisir à réaliser ce livre en équipe !

Nous espérons que vous vous régalerez autant que nous à préparer ces macarons avec nos plaques à macarons et poche à douille.

Aux clients de Mastrad et aux lecteurs de nos premiers ouvrages :

Merci de vos témoignages délicieux et de votre fidélité qui nous encouragent à toujours mieux vous servir.

A Jean-Claude, le prince des macarons !

Merci de ton inventivité et de ta gourmandise qui guident nos lecteurs cuisiniers sur le chemin de belles aventures gustatives... un régal pour les papilles !

A Julien, « Géant vert » :

Un maestro de la lumière... merci de nous faire rêver par ta créativité et ton amour des bonnes choses... un festin pour les yeux !

A Yul Studio :

Merci de votre efficacité ! Une mise en beauté efficace !

A l'équipe Marketing Mastrad :

Merci de votre gourmande participation !

Sabine

© 2011 Mastrad
Les Indispensables de Mastrad – Macarons
ISSN : 1968-8245
ISBN : 978-2-918992-00-4
Dépôt légal : mars 2011
Achevé d'imprimer en mars 2011 par Xinlian
Artistic Printing Cie / Chine

Mastrad SA
16, rue François Truffaut
75012 Paris
FRANCE
Tél : +33 (1) 49 26 96 00
Fax : +33 (1) 49 26 96 06
www.mastrad.fr